W9-CFK-230
ME LLAMO KISSHU.
NO HA ESTADO MAL. ❤

TOKYO mew mew
2

LO QUE HA PASADO HASTA AHORA.

ICHIGO ES UNA CHICA NORMAL Y CORRIENTE. PERO UN DÍA, DE REPENTE, SE TRANSFORMA EN MEW ICHIGO, DEFENSORA DE LA JUSTICIA. ¡AHORA DEBE LOCALIZAR A SUS CUATRO COMPAÑERAS PARA PROTEGER LA TIERRA DE UNOS ALIENÍGENAS!

UN DÍA, CUANDO ESTABA VISITANDO EL ZOOLÓGICO CON AOYAMA, ICHIGO SE TRANSFORMA DELANTE DE UNA CHICA MUY EXTRAÑA, QUE DESCUBRE SU SECRETO. Y DE REPENTE, ¡UN CHICO SOSPECHOSO LLAMADO KISSHU LA BESA!

¡¡MENUDO BESO!!
¡LO HE VISTO EN VIVO Y EN DIRECTO!
¡¿POR QUÉ LO HA HECHO?!
¡¿PERO POR QUÉ ME HA BESADO DE REPENTE?!
¿TE OCURRE ALGO?

CLARO.
ASÍ QUE TE HA GUSTADO ...

MI BESO. ♡
¿QUIERES OTRO?

¡TE EQUIVOCAS!
HOP
WACK

TAP
¿QUIÉN ERES...?
¿NO TE LO HE DICHO YA?
PLOP
ME LLAMO KISSHU.
¡¿QUÉ ES ESO?!

¡¡CUÁNTOS ALIENÍGENAS!!
AHORA EMPIEZA ...
¡EL VERDADERO ESPECTÁCULO!
ADELANTE ...
ZAAAAS
¡MIS PEQUEÑOS PARÁSITOS!

ZONK
ZONK
HA INFECTADO A LOS ANIMALES ...
¡¿CON BESTIAS QUIMERA?!
¡¡UUAAAH!!
BRO DOMM
GRROARR
¡ES IMPRESIONANTE!
¡PERO SI SON MONSTRUOS!

AHORA VEAMOS ...
HASTA DÓNDE LLEGA TU PODER.
UAH, UAH ...
SWISH
¡UAH!
AH!
WU SCH
!!
¿DÓNDE ESTÁ ESA CHICA?

¡¡VIVA, QUÉ ALTO ESTOY!!
¡¡NO!!
¿ESTÁS PREOCUPADA POR ELLA?
¡UAAH!
FASH
POM
¡AY!
¿POR QUÉ NO HACES NADA?
ESTOY DECEPCIONADO...
GNNN

¿YA TE HAS DADO POR VENCIDA?
¿YA QUIERES MORIR?
HACÍA MUCHO QUE BUSCABA UN JUGUETE TAN BONITO.
NO...
A MÍ ME DA IGUAL...
NO... TENGO MIEDO...
PERO NO PUEDO DEJARTE CON VIDA.
SSST

¡AÚN NO LE HE DICHO A AOYAMA LO QUE SIENTO POR ÉL!
RIBON ...
¡MINT ECHO!
SWISH
WHOPP
TIP
¿QUÉ ES ESO?
¿EH?
ESTO SE PONE AÚN MEJOR.

MINT...
¡LETTUCE!
¡NO DEBES SER TAN DESCUIDADA CON EL TRABAJO, ICHIGO!
TRANQUILA, ICHIGO.

PERO... ¡¿CÓMO HABÉIS SABIDO ...?!
RYO NOS DIJO QUE VINIÉRAMOS AQUÍ ...
Y NOS HEMOS ESCAPADO UN MOMENTITO DEL TRABAJO.
NO QUERÍA INTERFERIR EN TU CITA, PERO NO HE TENIDO MÁS REMEDIO.
¡VENGA, VA, TRANSFÓRMATE!

SHAAAAAAAAA
PLINC
FRASH
CLINC

PLOFF
¡YA ESTAMOS LAS TRES JUNTAS!
VAMOS A AGRADE-CERTE ...

¡TUS SERVICIOS! ♡

QUÉ... ¡¡QUÉ GUAY!
UAUH...
HAY DONDE ELEGIR... ♪
RIBON ...
¡¡MINT ECHO!!
¡¡LE-TTUCE RUSH!!
¡¡STRAWBERRY CHECK!!

POFFF

FLUTSCH
WUSCH
¡TE COGÍ!
NO OS SERÁ TAN FÁCIL ...

FLUPP
FLUPP
BLOP
BLOP
FUASH
FUASH
¡¿CADA VEZ QUE LOS DERROTAMOS SALTAN A OTRO ANIMAL?!
¡ASÍ NO ACABREMOS NUNCA!
¡AH!
¡¡CUIDADO!!
BA
DONK
¡¡UAAH!!

QU...
¡¿QUÉ?!
¡¡MALDITA
SEA!!
¡¡¡NOOOO!!!
FUOSH

¡LO CONSEGUÍ!
¡¿CÓMOOOO?!
¡¡POR FIN TENGO OREJAS Y COLA!!
¿ESTA NIÑA ES UNA DE NUESTRAS COMPAÑERAS?
¡¡DEJÁDMELO A MÍ!
FASH

¡PUDDING RING!
FLASCHHH
¡PUDDING RING INFERNO!
PFLOCK
¡AHÍ TENÉIS!
ZAAAAS
FLACK

¡LOS HE ATRAPADO A TODOS!
JE
¡GENIAL!
¡ES NUESTRA OPORTU-NIDAD!
¡TE ARRE-PENTIRÁS DEL BESO!
GRRR

¡¡AHORA TE DARÉ MI SERVICIO ESPECIAL!!
WHOOM
PLAC
PLAC
RECUPERA LOS ALIENÍGENAS.
SIEMPRE DICES TONTERÍAS, ICHIGO...
SI NO DAS PARA MÁS...
GRRR
¡YA ESTÁ!

BUEN TRABAJO.
HA SIDO MUY DIVERTIDO.
¿QUÉ SE SUPONE... QUE ES?
CREO QUE ES SU NOVIO.
¡¡NI HABLAR!!
¡¡BAJA DE AHÍ AHORA MISMO!!
VAMOS, VAMOS, NO ES PARA TANTO ...
VOLVE-REMOS A VERNOS, PRECIOSA. ♡

Y... Y, ADEMÁS ...
¿POR QUÉ PUEDE USAR LAS BESTIAS QUIMERA?
SHA AAA
GLUPS
¡UAAAARGH!
BU-BUMM
TENEMOS QUE VOLVER AL TRABAJO.
BUENO... ES QUE... YO...
BU-BUMB
BU-BUMB
BU-BUMB
¿QUÉ VAS A HACER?
YO TAMBIÉN VOY.
¡ICHIGO!
ZRISH
¡¡ES-PERA!!

¡¿DÓNDE ESTABAS ICHIGO?!
AOYAMA...
AOYAMA ME ESTÁ BUSCANDO ...
¡UAU!
¿ES TU CITA?
¿AÚN NO TE HA DEJADO?
¡QUÉ BONITO ES EL AMOR!
¡UAAAAAAH!
TU NOVIO ES MUY GUAPO.
NO, NO, SI NOSO-TROS AÚN ...
NO-SOTRAS Y PURIN VOLVEMOS AL CAFÉ.
LO... LO SIENTO ...
WUPP

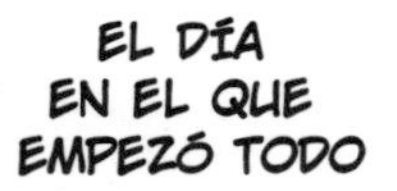

AUNQUE ME DIO UN POCO DE MIEDO, LO DIJO DE UNA FORMA TAN ADORABLE QUE...

AHORA TODAS CREEN ...
QUE SOY LA NOVIA DE AOYAMA.
AUNQUE NO LO SOY, ESTOY MUY CONTENTA.
JE JE
QUIZÁ, DENTRO DE POCO ...
AOYAMA.

...
¿EH?

¡¿DE QUÉ TE RÍES, IDIOTA?!
ZRISH
¿DÓNDE TE HABÍAS METIDO?
LOS ANIMALES SE HAN ESCAPADO, Y HAN TENIDO QUE EVACUAR A LOS VISITANTES...
ES QUE...
¡¡YA BASTA!!

VOLVAMOS.
SÍ...
PARECE QUE AOYAMA...
ESTÁ MUY ENFADADO...

ES LÓGICO QUE LO ESTÉ.
SI YO ESTUVIERA EN SU LUGAR ...
ZAS
SI LO PIENSO, HA SIDO ASÍ DESDE EL PRINCIPIO.
AOYAMA ME HA PROTEGIDO SIEMPRE DE LAS BESTIAS QUIMERA.
SI ME TRANSFOR-MARA DELANTE DE AOYAMA ...
SI DESCUBRIERA MI SECRETO ...
SERÍA TODO UN PROBLEMA ...
CLINC

MIAU
?!
UN... ¿GATO?
MIAU.
ZRISH
HACE UN RATO QUE NOS VIENE SIGUIENDO.
PARECE ABANDONADO.

POR ALGUNA RAZÓN, NO TE QUITA LOS OJOS DE ENCIMA ...
¿EH?

¿NO LLEVÁIS CINTAS DEL MISMO COLOR?
¡EH, OYE!
FRAS

BOING
¡AH!

¿QUÉ HAGO?
ESTÁ HUYENDO ...

ICHIGO, ¿Y TU COLLAR?
AH, ¿EH?
¿DESDE CUÁNDO NO...?
¿AOYAMA?
CLINC

PONTE ESTE CASCABEL.

ASÍ NO TE PERDERÁS DE NUEVO.
PROMÉTEMELO.

PORQUE ERES MI GATITA ...
CLINC

VENGA.
CLINC
¿NOS VAMOS?
SÍ...
¡CLARO!

JE, JE, JE...
¡AOYAMA ME HA HECHO UN REGALO!
¡NADIE ME SEPARARÁ DE ÉL!
NUNCA...
NUNCA JAMÁS...
CLINC

TOKYO
MEW MEW
2

ME LO DIJO, ME LO DIJO.
PORQUE ERES MI GATITA ...
¡¡AOYAMA ME LO DIJO!! ♡
CLINC
MIAU

OH...
¡ES AOYAMA!
CLINC
VAYA ...
SI PASO POR AHÍ, ME VERÁ ...
SIEMPRE TAN POPULAR ...
PARECE EL MISMO DE SIEMPRE ...
PA-RE-CE ...
DONG
OCU-PADO ...
ZAS ZAS

A PESAR DE ESTAR TAN LEJOS, AOYAMA ...
¡¡SE HA DADO CUENTA DE QUE LLEVO EL CASCABEL!!
AOYAMA, TENEMOS QUE IRNOS.
AHORA VOY.
AUNQUE NO ESTAMOS SOLOS...
AH... ¡OSTRAS!
TENGO QUE IR A TRABAJAR ...
TENGO LA IMPRESIÓN DE QUE HEMOS AVANZADO UN PASO. ♥
JIJI
¡¡BUENAS TARDES!!
¡¡TEN CUIDADO!!

CRASH
CRASH
QU... ¡¿QU...?!
¡HOLA, ICHIGO!
PLUMPS
ZUUUM
ZUUUM
¡UAH!
OYE, PERO ...
¡¿QUÉ ESTÁ PASANDO?!
AH, ESTO.
PURIN TRABAJA AQUÍ DESDE AYER.
¡¡BIENVENIDA!!

CUANDO ME HABLARON DE ESTE SITIO, QUISE TRABAJAR ENSEGUIDA.
AH... ¿SÍ?
¡AQUÍ TIENEN SU PEDIDO!
PURIN ES FANTÁSTICA, ¿NO CREES? ♡
VAYA...
...
AH, CLIENTAS.
BIENVENI-...
¡UAH!
¡¡LETTUCE!!
PAM
¡¡ESO TE PASA POR LLEGAR TARDE, ICHIGO!
¿EH...?
¡¡PONTE EL UNIFORME ENSEGUIDA!!
¡VAMOS, RÁPIDO!
SÍ... VALE...
RÁPIDO, LLEVA ESTO.
¡RECOGE LO QUE HA ROTO LETTUCE!
¡¡PURIN HA TIRADO UNA TARTA DE FRESAS!!
LLÉVALES AGUA.
TÓMALES NOTA.
¡BIENVENIDAS!

¡¡BASTA!!
¡¿POR QUÉ SOY LA ÚNICA QUE ESTÁ TAN OCU-PADA?!
SÍ QUE ES RARO, SÍ.
¡TÚ TAMBIÉN PODRÍAS TRABAJAR, BONITA!
RARO DICE, LA MUY...
AH...
¡LAN-ZAMIEN-TO DE PLATOS! ♪
ES QUE NO PUEDO PASAR SIN MI TÉ A ESTAS HORAS.
¡NO ERES MÁS QUE UNA PIJA! ¡AHORA TRABAJAS!
BAH
¿EH?
¡QUÉ MIE-DO!
¿OTRA VEZ, LETTUCE?
¡LO SIEN-TOOO!
LO HE TOMADO DESDE QUE ERA UNA NIÑA, SIN FALTA, Y CLARO ...
¡CLARO!
¿QUÉ PASA?

¡¿YA HAS LOCALIZADO A LA QUINTA COMPAÑERA?!
¡ES LA MODELO DE ESTA REVISTA!
SE PARECE A LA CHICA QUE ESTABA CON NOSOTRAS DURANTE EL TERREMOTO...
PERO... PARECE UN POCO BORDE, ¿NO?

¿NO PODRÍA SER OTRA?
JU
NO ESTÁIS BIEN DE LA CABEZA, ¿VERDAD?
¿QUÉ?

¡ES MARAVI-LLOSA! ¡CON ESE CABELLO TAN LUSTROSO, SEMEJANTE A ÓPALOS NEGROS, Y ESA CUTÍCULA PERFECTA!
Y ESA POSE SERIA E INTELECTUAL, ¡SEGURO QUE BAJO SU AS-PECTO CALMADO SE ESCONDE UNA PASIÓN ARDIENTE!
¡Y ADEMÁS, ESAS PIERNAS LARGAS Y ELEGAN-TES QUE DEMUES-TRAN QUE HACE EJERCICIO!
¡ASÍ ES ELLA!
¡NO HAY ERROR POSIBLE, DEBO ENCONTRARLA!
¡A NUESTRA ÚLTIMA COMPAÑERA!
¡A LA ÚLTIMA PROTECTORA DE LA TIERRA!
SÍÍÍÍ

SSSSS
¡AH!
PARECE QUE TIENES GANAS DE CONOCERLA, ¿EH, MINT?
NO ES... ¡NO ES NADA PERSONAL!
CLARO, CLARO, LO ENTENDEMOS.
QUÉ MONA ESTÁ MINT.
ADMIRA MUCHO A ESA CHICA.
¡¿Y TÚ DE QUÉ TE RÍES AHORA, ICHIGO?
FUOM
¡¡CUANTO ANTES ESTEMOS LAS CINCO, MÁS FUERTES SEREMOS!!
HAY QUE VER LO ROJA QUE SE HA PUESTO PORQUE LA HEMOS PILLADO...
BUBUM BUBUM
¡ESTÁS COLORADA!
¡NO ES VERDAD!
A VER SI PODEMOS HACERNOS MÁS FUERTES...

PERO... ¿CÓMO LA ENCONTRAREMOS?
ES VERDAD, COMO ES TAN FAMOSA...
ES MUY SENCILLO.
MIENTRAS HABLABAIS LA HE INVESTIGADO Y...
SE LLAMA ZAKURO FUJIWARA.
ES UNA MODELO MUY POPULAR DE LA AGENCIA IRIE.
Y AHORA ASISTIRÁ A UN CASTING DE TALENTOS.
ESO ES.
ICHIGO, MINT, LETTUCE, OS ENCARGO ESTA MISIÓN.
¡PARTICIPAD EN LA AUDICIÓN!

¡¿¡QUEÉÉ ÉÉÉÉÉÉ!?!
BUEN TRABAJO, RYO.
PERO TE OLVIDASTE DE COMENTARLES UNA COSILLA SOBRE LOS EXPERIMENTOS.

ELLAS... POR LO MENOS ICHIGO MOMOMIYA, MIENTRAS BUSCABA A SUS COMPAÑERAS, HA IDO AUMENTANDO SU PODER.
WHOOM
CREO QUE HA SUBIDO DE NIVEL.

SI ESO FUERA CIERTO, SERÍA EXCELENTE.
RYO, DE VERDAD...
A VECES ERES MUY MALO.
ES AQUÍ.

ESTO ES PRODUCCIONES IRIE.
¿PODREMOS COLARNOS EN LA AUDICIÓN?
¿Y QUÉ HACEMOS SI NOS SELECCIONAN?
SI ME ELIGEN, HARÉ UN ANUNCIO ...
¡BEBEDLA!❤
¡EL AGUA MÁS SANA!
¡¡UAAAAH!!
Y DESPUÉS DE MI DEBUT EN EL ANUNCIO ...
ICHIGO ICHIGO TRALARA LARÁA ♪
TE ALEJAS DE MÍ, ICHIGO ...
AO-YAMA ...
Y ENTONCES... ENTONCES ...
NO ES VERDAD, ¡ESTAREMOS SIEMPRE JUNTOS! ❤
ICHIGO ...
JE
POM

¿QUE TE DUELE? ¡NUESTRO OBJETIVO ES ENTRAR EN LA AUDICIÓN PARA LOCALIZAR A NUESTRA COMPAÑERA!
QU... ¡QUÉ DAÑO!
AH, ES VERDAD.
CLARO.
ESTÁS IMPACIENTE POR CONOCER A ESA CHICA QUE TANTO ADMIRAS, ¿VERDAD?
¡¡ ICHIGO !!
VALE, VALE, LO ENTIENDO.
LAS PARTICIPANTES DE LA AUDICIÓN, VENGAN AQUÍ, POR FAVOR.
¡AH!
¡CUÁNTAS CHICAS GUAPAS!
TAP
PRIMERO VEREMOS CÓMO CAMINÁIS.
ADELANTE, MINT AIZAWA.
SÍ.

¡MUY BIEN, MINT!
¡SE NOTA QUE HACE BALLET Y DANZA JAPONESA!
OOOOOH
MUY BIEN.
MUCHAS GRACIAS.
MINT HA PASADO SIN PROBLEMAS.
AHORA, ICHIGO MOMOMIYA.
AH... ¡SÍ!
BIEN, AHORA TENGO QUE IMITAR A MINT.
TOMAR AIRE LENTAMENTE...
BUF

¡¡UAAAAHHHHH!!

BLLL
¡SE ME ACELERA EL CORAZÓN!
¿CÓMO LO HACE MINT?
TUTUM
TUTUM

AVANCE, POR FAVOR, SEÑORITA MOMOMIYA.
WIIIII
TUTUM
NO... NO PUEDO
ES IMPOSIBLE ...
TUTUM
TUTUM

¡ME LO DICE A MÍ!
STOMP

VAYA, ES MUY SENCILLO.
SEÑORITA MOMOMIYA.

TANTO LOS BRAZOS COMO LAS PIERNAS.
BIEN, LA SIGUIENTE. LETTUCE MIDORIKAWA.

NO DOY PARA MÁS.

PATAM
LE... ¡LETTUCE!
LO SIENTO, LO SIENTO, LO SIENTO...
ESTO...
UFFF
PUES PARECE QUE ESO QUE HACEN LAS MODELOS NO ES TAN SENCILLO...
MINT LA ÚNICA QUE LO HA HECHO BIEN...
¡¡AHORA ME TOCA A MÍ!! ♡
ESA... ¡ESA VOZ!
¡AH!
¡¡YO TAMBIÉN QUIERO HACERLO!!
PU... ¡¿PURIN?!

¡MIREN, MIREN!
¡¡PLATOS GIRATORIOS!!
¡¡MIREN!!
BONG
¡TAMBIÉN TOCO EL GONG!
¡¡SOY MUY HÁBIL!!
FUOOOSH
¡¿PERO QUÉ HACES CON EL FUEGO?!
(¡DEJA DE HACER EL TONTO!)
Stop fooling around!
(¡NUNCA HABÍA VISTO UNA AUDICIÓN SEMEJANTE!)
I've never seen such an audition before!
PAMM
¿QUÉ DICE?
¿CÓ-MO?
EL EXAMINA-DOR ES TERRIBLE...
UGH...
ESA PURIN...

EL DÍA EN EL QUE EMPEZÓ TODO

LO QUE HA PASADO HASTA AHORA

EL ALMA DE LA COLECCIONISTA IZUMI ESTÁ AMENAZADA POR UN PELIGRO DESCONOCIDO. ¡HAY QUE SALVARLA! O SUS OJOS ...

SHAAAA SHAAAA

PL OC

¿QUÉ HABRÁ DENTRO? ...

YA... ES QUE COMO LO DESEABA TANTO...

(¿HAY ALGÚN PROBLEMA?)
Any trouble?
ESA CHICA ...
¡ES ZAKURO FUJIWARA!
ES... ¡INCREÍBLE!
(¡NO PODRÁ CREÉRSELO!)
You just won't believe this!!
(¿QUÉ HA PASADO?)
What is the matter?

NO SÓLO ES HERMOSA, SINO QUE HABLA INGLÉS CON FLUIDEZ...

ES NORMAL, ZAKURO HA VIVIDO VARIOS AÑOS EN EL EXTRANJERO...
HABLA INGLÉS, ALEMÁN, FRANCÉS, CHINO, ESPAÑOL...

¡CINCO IDIOMAS, NADA MENOS!

COMO ES DE BUENA FAMILIA...

PRESIDENTE...
INCREÍBLE...
¿CREE QUE SI MCGREGOR VE CÓMO LO HAGO QUERRÁ CONTINUAR LA AUDICIÓN?
CREO QUE SÍ, ZAKURO.
¡Y ADEMÁS ES TAN AMABLE!
OOOOH...

¡QUÉ GUAY! ¡¿CÓMO PUEDE SER QUE ANDE CON TANTA NATURALIDAD PERO SEA TAN IMPRESIONANTE?!
SERÁ POSIBLE... ¿SERÁ POSIBLE QUE SEA UNA DE NUESTRAS COMPAÑERAS? ♥

¡ES VERDAD!
DEBERÍAMOS INTENTAR BUSCAR SU MARCA ...
MINT, TENEMOS QUE AVERIGUAR SI TIENE ALGUNA MARCA.
¡AH, ES CIERTO!
¡¡POR FAVOR, QUE LA TENGA!!
¿PERO DÓNDE?
LA PRUEBA DE QUE ES UNA DE NOSOTRAS ...
ZRISH

¡¡ZAKURO!!
¡SON BESTIAS QUIMERA!
¡¡UAAAAH!!
CRASH

¡¡UAAAH!!
¡HUYE, MINT, RÁPIDO!
¡SI ES DE DÍA!
FLASH
¡¿MINT?!
SHAAAA
?!
RÁPIDO, ZAKURO, DEBES ...

REALMENTE ES...
¡UNA DE NUESTRAS COMPAÑERAS!
ZA... ZAKURO...
SHAAAA
RIBON ...
BLINK
¡ZAKURO PURE!

FASH

TAP
SHAAS
FLAAAP
ZAS

BOOOUM

¡¡LA HEMOS ENCONTRADO!!
¡¡ESTA CHICA TAN MARAVILLOSA ES NUESTRA COMPAÑERA!!
¡¡ERES NUESTRA ÚLTIMA COMPA-ÑERA!!

¡¡PARECE UN SUEÑO!!
NUES-TRA ÚLTIMA COMPAÑERA DE VERAS ES ZAKURO ...

DE TODAS ESTAS CHICAS... DE TODAS NO-SOTRAS, ES LA MEJOR...
SEGURO QUE PODRE-MOS SALVAR LA TIERRA ...

NO QUIERO SER VUESTRA COMPAÑERA.
EN ABSOLUTO ...
TENGO INTENCIÓN DE UNIRME A VOSOTRAS.
ZAKURO...

NO TE TOMES...
TANTAS CONFIANZAS.
YO...
¿POR QUÉ?
¡NO DIGAS ESO!
POR FIN HEMOS ENCONTRADO A NUESTRA ÚLTIMA COMPAÑERA, PERO ...
¿POR QUÉ ES ASÍ...?

TOKYO
mew mew
2

NO PIENSO UNIRME A VOSOTRAS.
¿POR QUÉ...?
HASTA HACE UNOS INSTANTES ERA MUY AMABLE ...
NO QUIERO SER VUESTRA COMPAÑERA.

¡¿POR QUÉ?!
MINT...
NO ESTÁ COMO SIEMPRE ...
SON LAS TRES.
¡MIRA, MINT! ¡ES LA HORA DEL TÉ!
BLINK
¿QUÉ? AH...
¿SÍ...?

AH... ¡¡MINT!!
?!
¡ESO NO ES UNA TAZA, ES UN FLORERO!
AAAA
AL
CIERTO, ES UN FLORERO.
BRR BRR
HASTA AHORA...
¡TOMO EL TÉ CADA TARDE!
¡ICHIGO, NO SEAS ORDINARIA Y HAZ TU TRABAJO!
¡PERO TRABAJA UN POCO, MUJER!
¡¿QUÉ LE HA PASADO A ESA CHICA TAN GLAMUROSA?!

ESA MINT ...
PARECE HABERSE ESFUMADO ...
POBRE-CILLA MINT.
SU-PONGO QUE HA SIDO EL SHOCK ...
OÍD.
AHORA ESTAMOS MUY OCU-PADAS ...

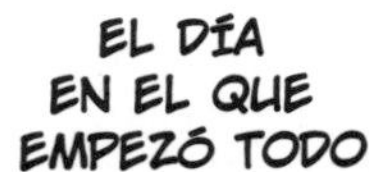
EL DÍA EN EL QUE EMPEZÓ TODO

A VER... ¿CÓMO LLAMAR A LOS ATAQUES?
¿QUÉ HACEMOS?
¡LOS DE ICHIGO PUEDEN LLAMARSE STRAWBERRY Y STRAWBERRY BELL!
¿QUÉ TAL?
¡¡JUA, JUA, JUA, QUÉ NOMBRES MÁS RAROS!!
DE-CI-DI-DO.
¿QUÉ E?
DESDE ESE MOMENTO, ÉSA FUE LA TÓNICA DE LAS REUNIONES SOBRE LA SERIE...
¡UAAH!
SWISH
PI.
¿EH?
TE LO REGALO.
ZUI ZUI

TE DOY A R-2000.
NO SÓLO SIRVE PARA ATRAPAR ALIENÍGENAS, TIENE OTRAS UTILIDADES.
SEGURO QUE TE ES ÚTIL.
¿RYO...?
VERÁS CÓMO MEJORAS SI LO USAS.
¡¡NO SEAS TAN BORDE!!

ZAS
BLINK
?!
ADIÓS, R-2000.
¿RYO...?
PI ...

Cafe Blue
BLA BLA
BLA BLA
¿ESTÁS SOLA?
HACE UN RATO QUE TE OBSERVO, Y CREO QUE PODRÍAMOS ESTAR BIEN JUNTOS, ASÍ QUE ...

ZRISH
ZAS
ESTO...
I'd rather be alone than with someone like you.
(PREFIERO ESTAR SOLA QUE CON ALGUIEN COMO TÚ).
JE JE
¿ES EX-TRAN-JERA?
?
?

ME LO HA REGALADO.
¿QUÉ VOY A COMER HOY?
¿QUÉ SIGNIFICARÁ?
NO ENTIENDO A ESE TÍO.
¿QUÉ SIGNIFICARÁ R-2000...?
QUÉ NOMBRE MÁS SOSO.
QUÉ FEO ES.
PI
¡CLARO!
¡PRIMERO DEBO DARTE UN NOMBRE!

BLINK
DEBERÁ SER UN NOMBRE MUY GUAY.
COMO EL DE AOYAMA, O ALGO ASÍ ...
SU NOMBRE DE PILA ES MASAYA.
PERO NO PUEDO LLAMARLE ASÍ...
¿PI?
¿PI?
...
...
Masaya Aoyama
MASHA.
¿QUÉ TE PARECE?
¡PI PI PI PI PI PI PI PI!
¡UAH!
¡¿QUÉ, QUÉ?!

MUAC
TE... ¿TE GUSTA?
PI
¡VAYA!
PI
¡QUÉ BIEN! ♡
¡VEN, MASHA!
TENGO QUE APRESURARME.
PI
¡¡QUÉ BIEN ME SIENTO!
HOY TENGO COSAS QUE HACER.

¿EH?
AH...
ENTONCES ...
¿POR QUÉ HABÉIS VENIDO A MI CASA?

PUES HEMOS VENIDO A PASAR EL RATO CONTIGO.
¿PASAR EL RATO...?
¿HACIENDO QUÉ?
GLUPS
PUES... VERÁS ...
¡¡MIRANDO LO QUE HAGO!!
ESO YA LO HACEMOS CONSTANTEMENTE EN EL CAFÉ.
AH, PUES ES VERDAD ...
HE PENSADO QUE QUIZÁ QUERRÍAS QUE PREPARÁRAMOS UNA TARTA ...
RECETAS
VALE, PERO TENGO UN REPOSTERO FRANCÉS, ASÍ QUE...
¿DE VERDAD?
PUES PODEMOS JUGAR AL ESCONDITE ...
NO TENGO GANAS DE HACER ESO.
PUES VAYA ...

QUÉ COSA MÁS INTERESANTE ...
¿EH?

¡NO LO TOQUES, QUE ES ...!!
¿QUÉ ES? ♡
PLIC
PSCHHH
PSCHHH

SPLOSHHHH

SPLASH
CHAF
CHAF
CHAF
¡¡PERO SERÉIS...!!

LO... LO SENTIMOS ...
ESTÁBAMOS EMPAPADAS...
NO TENÍAMOS INTENCIÓN DE HACER ESTO ...
¡GRACIAS POR INVITARNOS!
ES OBVIO.
SEÑORITA MINT, LES TRAIGO EL TÉ.
GRACIAS, PONLO AQUÍ.
HASTA QUE VUESTRA ROPA ESTÉ SECA.
HAY QUE VER, EN MENUDOS LÍOS OS METÉIS ...
¡¡¡OOOH!!!

¡¡ESTÁ DELICIOSO!! ♡
NO TIENES POR QUÉ PONERTE ASÍ, NO HAY PARA TANTO.
DEBERÍAS CONTROLARTE MÁS, PURIN.
NO HAY MÁS RE-MEDIO.
BLINK
¡VOY A DELEITAROS CON UNA DE MIS ACTUACIONES ESPECIALES!
¡PURIN PARECE UN ATÚN!
¿TIENE ADN DE ATÚN?
CREO QUE LO QUE TIENE ES ADN DE MONO.
¿Y QUÉ TIENE ESO QUE VER CON COMPORTARSE MEJOR?
QUÉ VERGÜENZA...
¡ESTO ES MUY DIVERTIDO!
¡ES MI PRIMERA FIESTA DE PIJAMAS! ♡
TAMBIÉN ES MI PRIMERA FIESTA VULGAR.
BAH

ESTA MINT, SIEMPRE DES-PRECIÁNDOLO TODO.
¡AHORA VERÁS!
MINT.
BOFF
GUERRA DE AL-MOHADAS.
PERO COMO ERES UNA PIJA, NO LO SABÍAS.
¡AHORA VERÁS!
ZAS
PAAF
¡JA!
¡YO TAMBIÉN QUIERO JUGAR!
¡BIEN!
PURIN, NO HAY QUE TIRARLOS ASÍ...

¡MAMÁ SE ENFADARÁ SI VE TODO ESTE LÍO!
PARECE EL PARAÍSO ...
OOOH...
¡QUÉ DIVER-TIDO!
CUANDO PASA ALGO MALO...
NOS ESFORZAMOS POR SUPERAR EL OBSTÁCULO.
TE PONEN DE BUEN HUMOR.
ESTOY AGOTADA, PERO...
DESPREO-CUPADA.
Y MIRA ...
ESTAS PLUMAS SON MUY AGRADA-BLES.

¿HACIA DÓNDE VOLARÁN?
¿QUÉ HACES?
¡UAH!
¡UAH!
¿POR QUÉ A MÍ?
¡YA BASTA!
¡NO PUEDO MOVERME!
BOFF
¿QUÉ VOY A HACER?
DUDO QUE MAMÁ SE LO TOME CON BUEN HUMOR...
FRAS FRAS
¡JA, JA, JA!
¿Y LETTUCE Y PURIN?
SE HAN ECHADO AHÍ.
LO DEL AGUA Y LO DE LAS AL- MOHADAS...

¡¿ES QUE NO SE OS PUEDE DEJAR SOLAS?!
ME GUSTA ESA SONRISA, MINT.
SEGURO QUE A LE-TTUCE Y PURIN ...
TAMBIÉN ...
NNN
FUOOOM

VOY A BUSCAR UNA MANTA.
HAY QUE VER...

ZRISH
¿PERO QUÉ...?
¿HA SIDO ESO...?
QUÉ HABRÁ SIDO ESA SENSACIÓN ...
¿DE DÓNDE PROVENÍA?
SHASH
¡UAAH!
FASH

¡CUÁNTO TIEMPO, ICHIGO!
¡TE HE AÑORADO, MI AMOR! ♡
GRAB
¡¿KISSHU?!
¡UGH!
ZAS
CLASP
!!
TENÍA MUCHAS GANAS DE VERTE.
DIVIR-TÁMONOS UN POCO MÁS.

QUÉ... ¿QUÉ QUIERES DECIR CON...?
ESO MISMO.
UN BESO, POR EJEMPLO. ♡
ESO, ESO.
¡¡NOOO!!
¡¡NO QUIERO, ESPERA!!
NO PASA NADA, NOSOTROS ESTAMOS JUNTOS.
¿CÓMO QUE JUNTOS?
¡NO QUIERO!
¡¡NO ME PONGAS LAS MANOS ENCIMA!!

ESA CHICA ES UNA DE MIS MEJORES AMIGAS.
MINT...
¡SI LE HACES DAÑO, TE LAS VERÁS CONMIGO!
¡ICHIGO! ¡MINT!
VALE, VALE, ME RINDO.
ZAS

HAN ES-TROPEADO NUESTRA CITA.
TIENES DEMASIADAS COMPAÑERAS.
SON UNA MOLESTIA.
ZRISH
ASÍ QUE, PRIMERO ...
ME ENCARGARÉ DE ESA TAL ZAKURO.
¡¡KISSSHU!!
FASH
SHAAASH

ZA... ZAKURO ...
¡TRANQUILA, MINT!

¿ME OYES, ICHIGO?
¡¿RYO?!

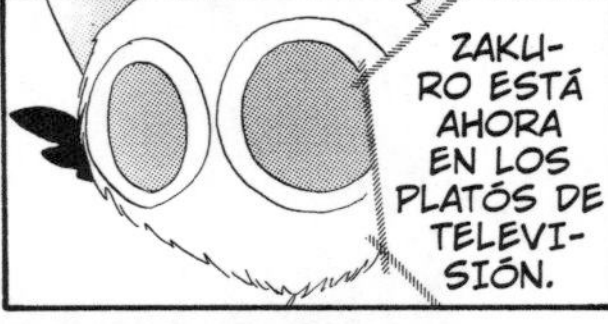
ZAKURO ESTÁ AHORA EN LOS PLATÓS DE TELEVISIÓN.

RÁPIDO.
SI NO, LLEGARÉIS TARDE.

¿QUÉ HACEMOS? ZAKURO ESTÁ ...
DECIDIDO.

CLASP
ICHIGO...

VAMOS A AYUDARLA.
SÍ.
¡VAYAMOS ADONDE ESTÁ NUESTRA COMPAÑERA!

TOKYO
MEW MEW
2

AQUÍ ES
DONDE ESTÁ
ZAKURO.

CH
AN
¿QUÉ ES LO QUE QUERÉIS, MOCOSAS?
NO PODÉIS PASAR DE ESTE PUNTO.
¡SE LO RUEGO! ¡TENEMOS ALGO MUY IMPORTANTE QUE HACER!
¿Y QUÉ ES ESO TAN IMPOR-TANTE?
DIME
PUES... VERÁ USTED ...
JE

¡¡VENGA, ENRÓLLATE Y DÉJANOS PASAR!!
ZAS
ZAS
ZAS
ZAS

¡ESTE TÍO NO HA ENTENDIDO NADA!
EN ESO TIENE RAZÓN.
SONÁBAMOS MÁS SOSPECHOSAS...
¿QUÉ TIENES EN MENTE, PURIN?
JE
¡PUES TENDREMOS QUE ENTRAR A LA FUERZA!
¡USARÉ EL SECRETO MEJOR GUARDADO DE LA FAMILIA FONG!
¡¡EL FA SHAN TEN HUAN!!

¡UAH!
POM
POM
POM
POM
PLAS
PLAS
PLAS
EL FAN SHAN
YA PODEMOS PASAR.
HEMOS LLEGADO HASTA AQUÍ GRACIAS A PURIN, PERO AHORA ...
¡NO PODEMOS PERDER TIEMPO AQUÍ!
ZAKURO ESTÁ EN PELIGRO, Y...
YA LO SÉ...
¡¡ESO ES!!

CH AN
¡BUENOS DÍAS! ♥
FLOP
FLOP
¡DISFRAZADAS DE AZAFATAS!
ZRISH
¡¡POR FIN OS ENCUEN-TRO!!
PARECE QUE YA ESTAMOS SEGURAS.
¡JO, NOS HAN PILLA-DO!
¡RÁPIDO, DEBEMOS ENCON-TRAR A ZAKURO!

OS ESTABA BUSCANDO, ¡AQUÍ ESTÁIS!
¿EH?
VOSOTRAS SOIS LAS INVITADAS ESPECIALES, ¿VERDAD?
BLA
BLA
BLA
JE...
¿Y AHORA QUÉ HACEMOS?
EN REALIDAD NO DEBERÍAMOS ESTAR AQUÍ ...
PERO COMO TENEMOS QUE ENCONTRAR A ZAKURO, QUIZÁ ESTÉ AQUÍ.
¡EH, ICHIGO!

¡AHÍ ESTÁ ZAKURO!
¡BUENAS NOCHES! ¡EMPIEZA LA HORA DE ANI ANI ANIMALIA!
¡HOY, NUESTRA INVITADA ESPECIAL ES ZAKURO FUJIWARA!
ESE KISSHU...
¿DÓNDE SE HABRÁ METIDO?

¡VAYA, VAYA! ¿QUÉ PASA, CHITA? ¿NO ESTÁS DE BUEN HUMOR
GRRROAR
TAP
TAP
¿SEÑORITA FUJIWARA?
¡AAH...!
LOS ANIMALES... ¡¿SON BESTIAS QUIMERA?!
¡UAAAH!

¡SOCORRO!
¡¡UAAH!!
CRACK
CRACK
¡ZAKURO...!
VAYA VAYA...¡PERO SI ICHIGO TAMBIÉN HA VENIDO!
ZRISH

¡KISSHU!
NO IMPORTA.
QUÉDATE QUIETECITA Y PODRÁS VERLO TO-DO DESDE AQUÍ.
SI NO, TENDRÉ QUE MATARTE.

¡KISSHU!
PERO...
¡ZA-KU-RO!
SI NOS TRANSFOR-MAMOS AQUÍ, NOS DESCU-BRIRÁN ...
¿QUÉ HAGO...?
¡¿QUÉ HAGO...?!
PL OFF

¡¿ICHIGO?!
ME HE TRANSFORMADO... JA, JA, JA...

¡¿QUÉ ES ESO?!
QUÉ LE VAMOS A HACER, YA ESTOY TRANS-FORMADA ...
¡¿CÓMO TE ATREVES A MONTAR ESTE NUMERITO ANTE LAS CÁMARAS?!
¡¡AHORA TE AGRADECERÉ TUS SERVICIOS!! ♡

OTRA VEZ.
¿NO TE DIJE QUE TE QUEDARAS A UN LADO?
NO SÉ SI ES NECESARIO, PERO...
ZOSCH
ZOSCH
QU... QUÉ ...
¿QUÉ ES...?
¿QUÉ ES ESO...?
CHAS
¡¡ADELANTE, PARASITE ANIMAL!!

FLASH
¡¡MALDITA SEA!!
¡UAAAH!
FLASH
¡NO TENGO TIEMPO!
¡CHICAS!

¡ACABEMOS CON ÉL, ICHIGO!
¡¡MINT ECHO!!
¡LETTUCE RUSH!
¡¡PUDDING RING IN-FERNO!!
RIBON ...
¡¡STRAWBERRY CHECK!!

BOOM
BANG
¡¿NO
FUNCIO-
NA?!

¡¡UAAAH!!
WHOOM
¡CHICAS!
SHAAAA

BLOOP
¡UAAAAH!
TE PILLÉ. ♡
NO...
NO ENTIENDO ESO DE AGRADE-CERME MIS SER-VICIOS...
NO PUEDO MOVERME...
PERO NO PUEDO PERMITIR QUE LO HAGAS. ♡
NO LO HE CONSEGUIDO...
SHH

¡UAAH!
SLASH
¿CÓMO?
¡ZAKURO!
¡AHORA!
ZAS
SHHH
¿TU OBJETIVO NO ERA YO?

FLASH
¡¿CÓMO?!
BLZZZ
TAP
NUESTRAS ARMAS ESTÁN ...
RESO- NANDO ...
BZZZ

¡¿SE ESTÁN REUNIENDO ANTE ICHIGO ...?!

SIENTO...
VUESTRO PODER, CHICAS...
EL PODER DE MIS COMPAÑERAS...
FLAP
SE ESTÁ UNIENDO EN UNO SOLO...
FLAP

¡¡STRAWBERRY BELL VERSION UP!!
NO SÉ CÓMO HA LLEGADO ESTO A MIS MANOS, PERO ...
¡YO TAMPOCO TE PUEDO PERMITIR QUE SIGAS!

RIBON ...
¡¡STRAWBERRY SURPRISE!!

BOUMMM
¡UGH!
INTERESANTE...
CADA VEZ ME GUSTAS MÁS, ICHIGO.
¡HASTA OTRA!
FASH

RRRRR
¿LO HAS VISTO, KEIICHIRO?
AUNQUE LA IMAGEN NO ES MUY BUENA..
ES INCREÍ-BLE.
SU EVOLUCIÓN SUPERA MIS MÁS LOCAS ESPERANZAS ...
SE... ACABÓ...

ESTO... OYE, ICHIGO ...
¡AH!
VAYA ...
¿UNA CÁMARA?
RRRR
¿¡DESDE CUÁNDO ESTÁ GRABANDO...?!
PATAMM
¡ES AQUÍ!
¡ESTAS SON LAS CHICAS!
GLUPS
NO SERÁ ...
NO ME DIGAS QUE ...

¡¿LO HAN RETRANS-MITIDO EN DIRECTO A TODO EL PAÍS?!
¡¿QUÉ ES ESO?!
¡¿UN GATO?!

¿SON DE VER-DAD?
Hisami
Haronkasu
¡MIRA, MIRA!
Tienda 300
¿EH? ¡¡QUÉ MONA!!

¡MENUDO SUSTO NOS HEMOS LLE-VADO CUANDO APARECIE-RON ESTAS MUCHACHAS!
¡¿QUÉ SERÁN?!
¡¿VAN DISFRA-ZADAS?!
¡¿QUÉ SON?!
¡¿DE DÓNDE HAN VENIDO?!
¡¡DECÍD-NOSLO, POR FAVOR!!
AH... EL TOKYO MEW CAFÉ...
ZAS
¡TONTA! ¡NO PODE-MOS DECIR LA VERDAD!
BIS BIS
AH... CLARO.

¿MEW?
¿TOKYO?
¡¿ES ÉSE VUESTRO NOMBRE?!
NO...
ZAS
¿ICHIGO...?
ESO ES.
CLINC

NOSOTRAS CINCO SOMOS ...
¿EH?

¡¡LAS TOKYO MEW MEW, DEFENSORAS DE LA JUSTICIA!!

ALDA VISION
PONOSONIC
¡¡Y A PARTIR DE AHORA, DEFENDEREMOS EL FUTURO DE LA TIERRA!! ♡
JE JE JE
QUÉ TÍPICO DE ELLA.

ESA IDIOTA...
...
¿QUÉ HA SIDO LO DE ANTES?
¿HACÍAS PUBLICIDAD DE LA CAFETERÍA?
JO... ¡FUE LO ÚNICO QUE SE ME OCURRIÓ EN ESE MOMENTO!
JA JA JA
CREO QUE QUEDÓ BIEN.
¡CLARO QUE SÍ!
JA JA JA
PERO SUERTE QUE PUDIMOS HUIR.
GRACIAS A QUE ZAKURO NOS MOSTRÓ LA SALIDA.

BUF
EH?
HACE UN MOMENTO, ZAKURO ...
ZAKURO, NOSOTRAS ...
NO QUIERO SER VUESTRA COMPA-ÑERA.
PERO...
BUF

SEGURO ...
LO PENSARÉ.
¡¡LO HEMOS CONSEGUIDO!!
¡¡QUE SE CONVIERTE EN UNA DE NOSOTRAS!!

TOKYO
mew mew
2

RIBON ...
¡STRAW-BERRY CHECK SURPRISE!
¡DEFEN-DEREMOS EL FUTURO DE LA TIERRA! ♡
YA...
MIYA...
MOMOMIYA ...

¡¡EH, MOMOMIYA!! ¡¡¡DESPIERTA DE UNA VEZ!!!
¡HAS HECHO UN BUEN TRABAJO! ♡
AO-YAMA
YO
¿DE VERAS? ♡
KISSHU
¡ME HA DERROTADO!
JA
ZAKURO
MINT
PURIN
VIVAA
ZZZZZZ
SÍ, AOYAMA ...♡
QUE SUEÑO MÁS RARO...

YA TE VALE, ICHIGO.
NO HABÍA MANERA DE DESPER-TARTE.
NO IMPORTA LAS HORAS QUE DUER-MA, ¡SIGO TENIENDO SUEÑO!
JO...
PERO CHICA, EN LA MESA DE CLASE ...
ESO NO SE HACE.
POR CIERTO, ¿LA VISTE?
¡CLARO QUE SÍ, FUE FAN-TÁSTICO!
¡LA HERMOSA ENIGMÁTICA JO-VENCITA!
¿QUIÉN SERÁ?
TOKYO MEW MEW
HE TRAÍDO EL PERIÓ-DICO.
AYER PUDIMOS VERLA, A LAS 8 DE LA TARDE, EN UN PROGRAMA DE ÁMBITO NACIONAL. ¿QUIÉN ES?
EN EL PROGRAMA SEMANAL DE TELE TOKIO
AL QUE ASISTEN JÓVENES PROMESAS
UNAS MISTERIOSAS JOVENCITAS
LOS ANIMALES SE VOLVIERON AGRESIVOS
UNA INCREÍBLE ACTUACIÓN
LOS REPORTEROS NO TIENEN PISTAS

¿¡POR QUÉ LE HAN DADO TANTA IMPORTANCIA?!
ERA TAN MONA...
¡Y OTRA DE LAS CHICAS TENÍA ALAS DE VERDAD!
HOY EMITIRÁN UN ESPECIAL MEW MEW.
¿DE VERDAD? ¡TENGO QUE VERLO!
AY...
¿CREES QUE SERÁN EXTRATERRESTRES?
¡QUÉ VA! ¡SON UN FENÓMENO NATURAL!
¡¿ÉSTOS TAMBIÉN?!
¡OS EQUIVOCÁIS! ¡SON MONSTRUOS!
¿NO ERAN EFECTOS ESPECIALES?
¡AQUÍ TAMBIÉN!
NO... NO SERÁ QUE...
¡NO ME DIGAS QUE NOS HEMOS PUESTO DE MODA!
IBAN DISFRAZADAS.
EXTRATERRESTRES.
EFECTOS ESPECIALES
¿NO VENDRÍAN DE UN FESTIVAL ESCOLAR?

¡PERO LA CHICA DE LAS OREJAS DE GATO ERA FANTÁSTICA!
¿EH?
VAYA...
LA CHICA ESA DE "AGRADECER LOS SERVICIOS".
¡QUIERO SER COMO ELLA!
JE JÉ
¿EH?
¿POR QUÉ DICES ESO?
UUH...
VAYA, QUÉ AMABLES...
¡VAIS A AVERGONZARME!
¡HE METIDO LA PATA!
NO, NADA, ES QUE...
SPLASH
¡¿QUÉ PASA, ICHIGO?!
PERDÓN...
TAP
¿QUÉ HACES?

AOYAMA ...
JE
NO HACE FALTA QUE ME LO DEVUELVAS.
QUÉ AMABLE ES ...
ICHIGO ...
AOYAMA HACE RATO QUE SE HA IDO.
ESTÁS EMPANADA.
¡ESPERA, AOYAMA!
¡¡AH, YA NO ESTÁ!!
FASH
¡COGERÉ UN ATAJO!

¿EH?
¡¿EH?!
¡¿EH?!
¿QUIÉN...?
FUOM
AH... ¡¡¡AAAAH!!!
¡AHORA NOOOO!
PLOFF

¡¡UOOOOH!!
¡¡ME HAN SALIDO LAS OREJAS!!
TUIN
© DE HARUKO FUJISHIMA
YO... ¡LO SIENTO!
JE JE
ES QUE HE TROPEZADO ...
BUF
TÍPICO DE TI.
QUÉ RABIA.
AHORA AOYAMA PENSARÁ QUE ESTOY MAL DE LA CABEZA.
BUF, SALVADA ...
TENGO QUE RECUPERAR MI CUERPO NORMAL.
TENGO QUE IR A ENTRENAR.
¡CLARO, ADIÓS!

NO, ASÍ NO...
Y GRACIAS POR EL PAÑUELO.
OYE, AOYAMA...
CASI NO HEMOS HABLADO DESDE LO DEL ZOOLÓGICO...
¡¿PERO QUÉ ESTOY DICIENDO?!
VAYA.
NO ESTAMOS SALIENDO NI NADA...
COMO PRONTO TENEMOS UN ENCUENTRO DE KENDO, ESTOY MUY OCUPADO.
Y HOY, VAMOS CON UNOS MIEMBROS DE LA UNIVERSIDAD AL PARQUE COMUNITARIO.
¿PARQUE COMUNITARIO?
SÍ, ESTAMOS EN VERANO, PERO LOS CEREZOS ESTÁN EN FLOR.
POR ESO VIENEN LOS EXPERTOS A VER QUÉ PASA.
PERO YO...
VAYA, QUÉ OCUPADO ESTÁS.
¡ÁNIMO!
ICHIGO...
ME SIENTO SOLA...

VOL-
VEREMOS
A SALIR
JUNTOS
...
LOS DOS
SOLOS
...
AOYAMA
...

¡VALE!
¡UAAAAH!
¡ESTÁS MARAVILLOSA, ZAKURO!
PERO... SE DARÁN CUENTA DE QUE ERES UNA MODELO FAMOSA...
SEGURO QUE NO PASA NADA.
DIS-CULPAD.
EL... EL AGUA...
TAP
GRA... GRACIAS...
POM
ZRISH
ES MUY GUAPA, PERO DA MIEDO...
SU CARA NO ES TAN CONOCIDA FUERA DE SU MUNDILLO...
AH, CLARO...
BU BUM

PERO EL CASO ES QUE YA ESTAMOS LAS CINCO REUNIDAS.
¡¡CUANTO ANTES DE-RROTEMOS A LOS ALIENÍ-GENAS, ANTES RECUPERAREMOS NUESTROS CUERPOS!!
¡Y PODRÉ PONERME ROMÁNTICA CON AOYAMA SIN QUE ME SALGAN OREJAS DE GATO!
FLOP
¡¡MIRAD, CHICAS!!
¡¡SALIMOS EN UN MONTÓN DE REVISTAS!!
Tokyo Mew Mew
CHAN
¡Y AQUÍ HAY MÁS!
SACADAS DE LA TELE, ESO SÍ.
¡¡SOMOS FAMOSAS!!
LAS FOTOS NO SON MUY BUENAS.
ESTOY AVERGON-ZADA...
¡EH!
PASA DE TODO
¡¿PERO NO DEBERÍAIS ESTAR CON-TENTAS?!
¡TODO ESTE REVUELO ES CULPA TUYA!
¡¿CÓMO?!
EH.
RYO...
RECETAS

SPECIAL THANKS!!

REIKO YOSHIDA

RIMO MIDORIKAWA
MADOKA OMORI

HIDEAKI OIKAWA

HIJIRI MATSUMOTO
AYA SUZUKI

IZUMI UEDA

ASUMI HARA

M. SEKIYA
T. KAMAGATA

FLASH
TENEMOS QUE HABLAR DE ALGO MUY IMPORTANTE.
EL VUESTRO ES LUCHAR CONTRA LOS ALIENÍGENAS...
QUE QUIEREN APODERARSE DE LA TIERRA.
QUIEREN ADAPTAR NUESTRO PLANETA A SUS CONDICIONES DE VIDA...
POR ELLO, LA CONTAMINACIÓN Y LA EXTINCIÓN DE LAS ESPECIES SON SU OBJETIVO.
AQUÍ TENÉIS UNA MUESTRA DE LO QUE PRETENDEN... SI NO HACEMOS NADA PARA DETENERLOS, SE PRODUCIRÁ UN AUTÉNTICO DESASTRE.
ES TERRIBLE...
PARA QUE PUDIERAIS LUCHAR CONTRA ELLOS, MODIFICAMOS VUESTRO ADN.

ZAKURO CON GENES DEL LOBO GRIS.
PURIN CON LOS DEL TITÍ LEÓN DORADO TAMARÍN.
LETTUCE CON LOS DE UNA BALLENA BELUGA.
MINT CON LOS DE UN PERIQUITO DE PECHO BLANCO.
E ICHIGO CON LOS DEL GATO MONTÉS DE IRIOMOTE.

VUESTRA MISIÓN ES DERROTAR A ESOS ALIENÍ-GENAS.
OS HABRÉIS DADO CUENTA DE QUE, PARA DERROTAR AL ENEMIGO, VUES-TRAS TÉCNICAS SON CASI INS-TINTIVAS.
PERO POR EL MOMENTO, ESO NO BASTA.
AQUÍ TENÉIS ...
CLOC

¿Y ESO?
PARECE QUE ESTÁ VACÍO...
VOSOTRAS TENÉIS QUE ENCONTRAR EL CONTENIDO.
¿ENCONTRARLO?
COMO PODÉIS VER, LOS ALIENÍGENAS SE CENTRAN EN LAS ZONAS URBANAS, QUE ES DONDE HICIERON SUS PRIMERAS APARICIONES.
FLASH
SEGÚN NUESTROS ESTUDIOS, SUS PUNTOS DÉBILES SON LOS SUELOS FÉRTILES, LOS CIELOS LIMPIOS, PERO SOBRE TODO, LAS AGUAS LÍMPIDAS.
POR ESO QUIERO QUE ACUMULÉIS MEW AQUA.
MEW...
AQUA...

AL FIN ESTÁN TODAS REUNIDAS.
MMMM... SÍ, POR SUPUESTO.
NO PUDE HACER NADA PARA EVITARLO.
¿NO HAS ESTADO JUGANDO DEMASIADO, KISSHU?
PERDÓN, PERDÓN, PERO NO HE PODIDO RESISTIRME ...
BUF
DE TODOS MODOS, QUIERO QUE APLI-QUES LA NUEVA ESTRA-TEGIA.

PARA ENCONTRAR LA MEW AQUA EN TOKIO, DEBERÉIS IR A SITIOS MUY PUROS DONDE HAYA AGUA.
COMO ÉSE NO ES EL CASO NI DE LOS RÍOS NI DEL MAR, TENDRÉIS QUE BUSCAR BIEN.
EN EL TOKIO ACTUAL, LOS RÍOS Y PARTE DEL MAR SE HAN LLENADO O ELIMINADO PARA CREAR MÁS SUELO EDIFICABLE.
LOS BARRIOS DE GINZA, MARUNOUCHI, ODAIBA, HANE-DAKUKO... PUE-DE DECIRSE QUE EL CENTRO DE LA CIUDAD HA SIDO CONSTRUIDO POR EL HOMBRE.
SEGURAMENTE, EL AGUA PURA DESCANSA EN EL SUBSUELO DE LA CIUDAD.

PUES NO SÉ POR DÓNDE PODEMOS EMPEZAR A BUSCAR.
PERO ...

¡AL MENOS AHORA SOMOS CINCO!

SEGURO QUE, PASE LO QUE PASE ...
¡LO CONSEGUI-REMOS!
POR SUPUES-TO.
ESTO ES TERRIBLE, RYO.
¿QUÉ PASA, KEIICHI-RO?
MASHA NOS HA ENVIADO LOS RESULTADOS DE LOS CEREZOS DEL PARQUE COMUNITARIO.
¿EL PARQUE COMUNI-TARIO?
AHÍ ES DONDE...
¡¿QUÉ LES ESTÁ PASANDO A LOS CERE-ZOS?!
¡EL POLEN DE ESAS FLORES ES TÓXICO Y ESTÁ CON-TAMINANDO LA ATMÓS-FERA!
SI NO NOS DAMOS PRISA ...

¡LAS PERSONAS QUE ESTÁN EN EL PARQUE ESTARÁN EN PELIGRO!
SHAAAA
¡¿QUÉ PASA?!
¿LAS FLORES DE CEREZO SE HAN VUELTO NEGRAS?
EL POLEN...
DUELE...
COF
COF
COF
COF
MAMÁ... MAMÁ...
OOOO
COF
GRAB

SHASS
¡UGH!
QUÉ... ¿QUÉ HA SIDO ESO...?
COF

COMO NO CUIDÁIS VUESTRO PLANETA, NOS LO QUEDAREMOS NOSOTROS.
Y A ICHIGO TAMBIÉN. ♪
¡¿QUÉ ESTÁS DICIENDO?!
NADA...
SÓLO ESTAMOS ACELERANDO LA DEGRADACIÓN DE LA TIERRA.
¡¡YA BASTA!!

QUÉ OBSTINADO ERES.
TE PARECES A ALGUIEN QUE YO ME SÉ.
COF COF COF
SERÍA MEJOR QUE TE DIERAS POR VENCIDO.
ES UNA LÁSTIMA, PERO NO ME INTERESAN LOS CHICOS.
ASÍ QUE TENDRÉ QUE MATARTE.
¡ADIÓS! ♪
FLAP
FLAP

SHAAAAAAA
FLASH
¡¡RIBON STRAWBERRY CHECK!!
FLAP
¡OH!
FLAP
¡OH!
¡OH!
FLAP FLAP
¡POR LOS PELOS!
FLAP
FLAP

PRIMERA PUBLICACIÓN EN LA REVISTA NAKAYOSHI,
EN LOS NÚMEROS DE ENERO A MAYO DE 2001.

QUÉ MALA ERES, ICHIGO.
SI QUIERES SER SÓLO MÍA, NO DEBERÍAS PREOCUPARTE DE ESE MORTAL.
¡MIRAD LOS CEREZOS!
FHU OOO
¡¡PRESTADME VUESTRO PODER, CHICAS!!
FLASH
SEA CUAL SEA TU MOTIVO, ¡NO PERMITIRÉ QUE LE HAGAS ESTO A LOS CEREZOS!
¡¡AHORA TE AGRADECERÉ TUS SERVICIOS!!
BAMM

¡¡STRAW-
BERRY CHECK
HEALING!!
WHOOOSH
SI CREES QUE USANDO LA MISMA TÉCNICA DOS VECES VAS A...
ERES UNA CABECITA LOCA.
SHAAAA
LOS CEREZOS...
FASSH

BIEN, LOS CEREZOS YA HAN VUELTO A LA NORMALIDAD.
VÁMONOS, ICHIGO.
SÍ.
ANTES DE IRNOS ...
LOS PÉTALOS DE CEREZO ESTÁN POR TODAS PARTES.
SIENTO HABER TENIDO QUE HACER ESTO ...

AH...
NOS VERE-MOS ...
¡EL AÑO QUE VIENE!

ICHIGO
...

¡¿ME
HA DESCU-
BIERTO?!
¡NOS VEMOS EN
EL VOLUMEN 3!

RED DATA ANIMAL

EN TODO EL MUNDO HAY ANIMALES EN PELIGRO DE EXTINCIÓN. ACTUALMENTE, HAY 2580 ESPECIES EN PELIGRO. HAY MUCHOS MOTIVOS PARA ELLO, COMO EL EXCESO DE PESCA POR PARTE DE LOS HUMANOS, LA CONTAMINACIÓN O LA DESTRUCCIÓN DEL MEDIO AMBIENTE. ¡SI TODOS NOS ESFORZAMOS, PODREMOS SALVAR A LOS ANIMALES!

FILE 4: TITÍ LEÓN DORADO.

TAMAÑO. MIDEN DE UNOS 20 A UNOS 30 CENTÍMETROS DE LA CABEZA A LAS PIERNAS, Y TIENEN UNA COLA ENTRE 20 A 30 CENTÍMETROS. PESAN DE 600 A 800 GRAMOS.

DÓNDE HABITA. ES EL MONO MÁS PEQUEÑO, QUE PUEBLA LAS SELVAS DE LA ZONA DE RÍO DE JANEIRO, EN BRASIL, Y LE LLAMAN LEÓN POR EL COLOR DORADO DE SU PELAJE. SE HA CONVERTIDO EN UN SÍMBOLO PARA LA PROTECCIÓN DE LAS SELVAS TROPICALES. EN LA ACTUALIDAD, QUEDAN MENOS DE 400 EJEMPLARES EN LIBERTAD, POR ESO LOS BRASILEÑOS SUELEN COGER A CRÍAS, ALIMENTARLAS Y CUIDARLAS HASTA QUE SON ADULTOS Y LOS PUEDEN DEVOLVER A LA SELVA, PARA CONSERVAR LA ESPECIE.

FILE 5: LOBO GRIS.

TAMAÑO. SU CUERPO MIDE ENTRE 82 Y 160 CENTÍMETROS, PESA ENTRE 20 Y 80 KILOS (LOS MACHOS) Y ENTRE 18 Y 55 (LAS HEMBRAS).

DÓNDE HABITA. EL LOBO GRIS, PARIENTE CERCANO DEL PERRO, ES EL CARNÍVORO MÁS GRANDE DEL CONTINENTE EUROASIÁTICO Y NORTEAMÉRICA. Y NO SÓLO ESO, SINO QUE ES UN GRAN CAZADOR. PERO LOS HUMANOS LO HAN CAZADO INDISCRIMINADAMENTE POR SU PIEL. ACTUALMENTE, SÓLO QUEDAN CIEN MIL EJEMPLARES. LOS QUE VIVEN EN EL NORTE SON LOS MÁS GRANDES DE TODOS.

ASÍ QUE LAS CHICAS QUE TIENEN ESTE ADN SON...

TITÍ LEÓN DORADO ➜ ➜ ➜ ➜ PURIN
LOBO GRIS ➜ ➜ ➜ ➜ ➜ ➜ ➜ ➜ ZAKURO

TOKYO MEW MEW 2

SEGUNDO VOLUMEN

REIKO YOSHIDA

NO HACE MUCHO SE PUSO DE MODA LA "ADIVINACIÓN ANIMAL", UN MÉTODO QUE TE DESVELABA QUÉ ANIMAL ES MÁS CERCANO A TI. ¿CON CUÁL OS IDENTIFICÁIS? QUIZÁ CON EL CELOSO PERO ADORABLE GATO. O EL DIGNO PERIQUITO DE PECHO BLANCO, QUE VIVE ENTRE LAS FLORES. O CON LA PACÍFICA BALLENA BELUGA. O CON EL ANIMADO E HIPERACTIVO MONO, O QUIZÁ CON EL FUERTE Y RÁPIDO LOBO. MUCHA GENTE ES ADORABLE COMO LOS GATOS, PERO LOS QUE SE IDENTIFICAN CON EL PERIQUITO DE PECHO BLANCO SON MUY HOSPITALARIOS, Y LOS DE LA BALLENA BELUGA TIENEN TENDENCIA A PROTEGER A LOS DEMÁS. LOS TIPO MONO TIENEN UN DON ESPECIAL PARA HACER AMIGOS, Y LOS TIPO LOBO, AUNQUE ALGO MÁS DISTANTES, SIEMPRE DESPIERTAN ADMIRACIÓN. YO SOY MÁS AFÍN A LA BALLENA BELUGA. SE MUEVE CON MUCHA SUAVIDAD, CREO QUE ES MUY RELAJANTE. UNA VEZ BUCEÉ CON UN TUBO Y UNAS GAFAS. EN EL MAR PRÓXIMO A TOKIO HAY MUCHA VIDA MARINA, PERO NORMALMENTE NO PODEMOS VERLA. PERO DONDE FUI ERA FANTÁSTICO, ESTABA LLENO DE PECES. ¡A VECES TENGO GANAS DE TRANSFORMARME COMO LETTUCE Y PODER NADAR EN EL MAR!

¡¡LO LO-GRAMOS!!
TRAJE DE BATALLA DE MEW MEW.
SEGUIMOS CON LO EL UNIFORME DE ICHIGO.
¡¡LE QUEDA TAN BIEN!!
ES MUY CHULO.
QUÉ GUAY.
NATURALMENTE, TIENE QUE SER CREÍBLE, PORQUE YUKI YOSHIDA LO LLEVA EN LOS ACTOS DE TOKYO MEW MEW.
¡QUEDA TAN BIEN QUE CUANDO CAMINE SUENE EL CASCABEL!
¡Y LUEGO SE PRUEBA EL DISFRAZ!
ES TAN DELGADITA ...
YUKI TIENE UNA CINTURA MUY PEQUEÑA.
PERO EN ESTE PUNTO ES DONDE HAY QUE TENER MÁS CUIDADO.
ES UN SECRETO ENTRE LAS CHICAS DE ALLÍ Y YUKI. ♡
Y YO NO ESTOY TAN DELGADA ...
QUÉ MANGAKA TAN RA-RITA ...
ESTI-LISTA
MÁNA-GER
YUKI
¡YUPI!
ÑIII

¡HOLA, SOY IZUMI! ❤

¡HOLA Y ENCANTADA! ¡¡SOY MIA IKUMI!! ¡YA HA SALIDO EL SEGUNDO VOLUMEN DE TOKYO MEW MEW! QUÉ RÁPIDO... YA HAY DOS, YA HAY DOS... NOS COSTÓ VARIOS MESES QUE APARECIERA EL PRIMER VOLUMEN. EN ESE CORTO ESPACIO DE TIEMPO TUVE QUE EXPERIMENTAR CON MUCHAS COSAS PARA PODER HACER BIEN MI TRABAJO. ❤ COMO HABLAR CON RESPONSABLES DE AUDICIONES O DAR UNA VUELTA EN LANCHA POR LA BAHÍA DE TOKIO. (RISAS) PERO LO MEJOR FUE QUE DURANTE LA GOLDEN WEEK (QUE EQUIVALE A VUESTRA SEMANA SANTA) SE CELEBRÓ EN IKEBUKURO EL FESTIVAL DE TOKYO MEW MEW. ❤ PUDIMOS VER EL NUEVO FILM, LOS NUEVOS OBJETOS DE MERCHANDISING... PARA ESTE FESTIVAL TUVE QUE DIBUJAR UN PÓSTER CON DOCE DE LOS PROTAGONISTAS DE LA SERIE, Y ME HIZO MUCHA ILUSIÓN. ❤❤ ME SORPRENDIÓ QUE HUBIERA DOS SESIONES DE FIRMAS DOS DÍAS CONSECUTIVOS. MIS COLEGAS DE LA MESA DE FIRMAS ERAN GENIALES... SEGURO QUE YO QUEDÉ COMO UNA PALETA... PERO GRACIAS A ELLAS ME DIERON MUESTRAS GRATUITAS DE MAQUILLAJE. ¡¡VIVA!! ¡¡ERAN GENIALES!! LO MALO ES QUE CUANDO ME QUITÉ ESE ESTUPENDO MAQUILLAJE VOLVÍ A SER LA DE SIEMPRE... COMO SE DICE EN LOS SHOJOS, "ÉSA... ¡¿ÉSA SOY YO?!" (RISAS) TODA MI VIDA HE PENSADO QUE ESTABA BASTANTE BIEN, PERO CUANDO ME VI TAN GUAPA PENSÉ QUE NO ESTABA NADA MAL. UN PAR DE DÍAS DESPUÉS YA ERA UNA EXPERTA MAQUILLÁNDOME. ¡¡MUCHAS GRACIAS A LA PERSONA QUE ME REGALÓ LAS MUESTRAS!! DE TODOS MODOS, HAY QUE PONERLE UN LÍMITE A ESO. A TODOS NOS GUSTA ESTAR MÁS GUAPOS, PERO CUANDO FUI MAQUILLADA AL FESTIVAL ME DI CUENTA DE QUE LOS HOMBRES ME HACÍAN MÁS CASO, Y HABLABAN CONMIGO DE UN MODO DISTINTO... (RISAS)

LA VERDAD ES QUE LA ILUSTRACIÓN DE ESTA PÁGINA Y LA DE LA SIGUIENTE LAS HICE MIRANDO UNAS FOTOS DE YUKI YOSHIDA. CREÍ QUE ASÍ QUEDARÍAN MEJOR LA ROPA TAMBIÉN SALÍA EN LA FOTO... ¿NO LO SABÍAIS? PERO LA VERDAD ES QUE TAMPOCO SE PARECEN TANTO A LAS FOTOS ORIGINALES. YO CREO QUE YUKI SE PARECE MÁS A ICHIGO QUE ÉSTA. ¡DE VERAS! RECUERDO QUE CUANDO LA CONOCÍ NO PODÍA CREERME QUE TUVIERA UNOS OJOS TAN BONITOS. CADA VEZ QUE LA VEO, ME DA LA IMPRESIÓN DE QUE TIENE LOS OJOS MÁS GRANDES, Y PIENSO QUE ES TAN GUAPA Y LLENA DE ENERGÍA... ¡CLAVADITA A ICHIGO!LO CIERTO ES QUE CUANDO MIRO A YUKI CREO ESTAR VIENDO A ICHIGO. ES ALGO MUY EXTRAÑO... ME GUSTA PENSAR QUE CUANDO DIBUJO A ICHIGO ESTOY DIBUJANDO A YUKI. QUIZÁ ESTÉ CONDICIONADA POR EL HECHO DE QUE SEA LA IMAGEN DE ICHIGO, PERO LA VERDAD ES QUE NO PUEDO EVITAR PENSAR QUE ES MONÍSIMA. *RISAS * Y NO ME EQUIVOCO, PORQUE LAS VECES QUE NOS HEMOS REUNIDO HE VISTO QUE TODOS LA MIRAN. SU PRÓXIMA APARICIÓN SERÁ EN UN ACTO LLAMADO TOKYO CHARACTER SHOW, EN EL QUE SE PRESENTARÁN LAS IMÁGENES DE LAS CUATRO NUEVAS COMPAÑERAS. ¡SERÁ MUY DIVERTIDO! LA VERDAD ES QUE NO PUDE ASISTIR A LA ELECCIÓN DE LOS CUATRO NUEVOS MIEMBROS. Y AUNQUE TODAS SON CHICAS MUY GUAPAS Y CON MUCHO ESTILO, NO PUEDO ESPERAR PARA VERLAS A LAS CINCO CON SUS DISFRACES. POR CIERTO, QUE YO TAMBIÉN ASISTIRÉ AL TOKYO CHARACTER SHOW, O POR LO MENOS ESO ES LO QUE HA DICHO MI EDITOR... NO SE POR QUÉ, PERO TENGO LA IMPRESIÓN DE QUE EN ESE SHOW VAN A TENER QUE BUSCAR ALGO ESPECIAL... ¡UAAH, UAAH!NO HACE MUCHO QUE ACABÉ LOS DISEÑOS DE LOS TRAJES, ¡FUE MUY DURO DISEÑAR ESOS CUATRO! PERO SI YO ME QUEJO POR HABER TENIDO QUE DISEÑARLO, SUPONGO QUE LOS QUE HABRÁN TENIDO QUE CONFECCIONARLOS LO HABRÁN PASADO AÚN PEOR. PERO EL DE ICHIGO QUEDÓ GENIAL, Y SEGURO QUE LOS DE SUS COMPAÑERAS SERÁN IGUAL DE ESPLÉNDIDOS. ¡SEGURO! ☆ ¡ESPERO QUE ESTE VERANO APOYÉIS A LAS MEW MEW!

TOKYO MEW MEW 2

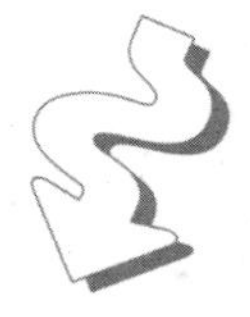

TOKYO MEW MEW nº2
Título original: "Tokyo Mew Mew volume 2"

First published in Japan in 2001 by Kodansha Ltd., Tokyo.
Publication rights for this Spanish edition arranged through Kodansha Ltd., Tokyo.

Passeig de Sant Joan nº7. 08010 Barcelona.
Tel.: 93 303 68 20. - Fax: 93 303 68 31.
norma@normaeditorial.com
Traducción: Annabel Espada.
Realización técnica: Quim Miró.
Depósito legal: B-48596-2004 ISBN: 84-9814-026-9
Printed in the EU.

www.NormaEditorial.com

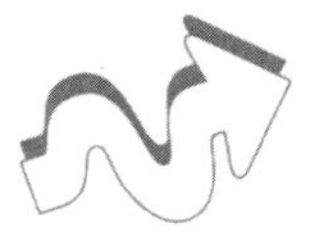

dibujo: MIA IKUMI
guión: REIKO YOSHIDA

HE TENIDO MUCHA SUERTE AL PODER CONVERTIRME EN MANGAKA. ES INCREÍBLE SER CAPAZ DE SACAR A LA LUZ TODOS LOS PERSONAJES QUE LLEVAS DENTRO. NO OS IMAGINÁIS LO FELIZ QUE ME SIENTO DE TENER TANTA SUERTE. AHORA TAMPOCO QUIERO QUE PENSÉIS QUE ME ESTOY DANDO AIRES, PORQUE AUNQUE ME DIVIERTA Y SERLO, TAMBIÉN TENGO QUE ESFORZARME MUCHO PARA PODER SER FELIZ. HAY QUE LUCHAR POR CONSEGUIR LO QUE SE DESEA DE CORAZÓN...

PARA ACABAR, A TODOS LOS QUE HAN AYUDADO A LLEVAR A CABO ESTE MANGA, A TODOS LOS QUE HAN ESTADO INVOLUCRADOS EN EL PROYECTO, A TODOS LOS LECTORES, A TODOS LOS QUE ME HABÉIS APOYADO... ¡¡MI MÁS ETERNA GRATITUD!!

SI QUIERES HACER FELIZ A LA PERSONA QUE MÁS AMAS, SI QUIERES SER FELIZ... ¡¡HAY QUE ESFORZARSE AL MÁXIMO!!

23 DE MAYO DE 2001. MIA IKUMI.

COMO MI EDITOR ME TIENE PROHIBIDO
QUE AVANCE NADA, SERÁ MEJOR QUE DEJE EL
TEMA... COMO QUÉ VA A PASAR CON ICHIGO...
PERO LO QUE SÍ PUEDO DECIROS SOBRE ELLA
ES QUE NO AUMENTA DE ALTURA CUANDO LE SALEN
LAS OREJAS DE GATO, Y QUE LE GUSTAN LAS
PALOMITAS CON CARAMELO (AUNQUE BUENO,
ESTOS DATOS...) CUANDO ESTOY TRABAJANDO,
MI EDITOR VIENE A CASA A AYUDARME, ME LIMPIA
LA CASA, ME HACE LA COMIDA Y TRABAJA MUY DURO,
LO DIGO EN SERIO. CUANDO ESTABA HACIENDO LAS
ILUSTRACIONES DE PERSONAJES ME SUGERÍA
QUE HICIERA COSAS PARA EL MERCHANDISING,
O DIBUJOS EXTRA... LA VERDAD ES QUE ME
ESTRESABA UN POCO SU IMPACIENCIA, SOBRE
TODO CUANDO NO ME DEJABA DESCANSAR.
CUANDO VOY A CASA DE MIS AMIGAS, ME
DICEN QUE SOY UNA VAGA PORQUE NO LES
AYUDO EN LA COCINA, PERO LA VERDAD ES
QUE SOY MUY TORPE (SUERTE QUE LA MA-
DRE DE MI AMIGA TIENE UN MONTÓN DE
PEQUEÑOS ELECTRODOMÉSTICOS, ¡MENOS
MAL!) ♥ ESO SÍ, AL MENOS SÍ PUEDO
PREPARAR LOS INGREDIENTES NECESA-
RIOS PARA HACER LA COMIDA. LUEGO,
NOS LA HACE LA ASISTENTA DE MI
AMIGA, COCINA DE VICIO. ♥ LO CIERTO
ES QUE SOY MUY TORPE EN LA COCINA.
(RISAS) PERO AL MENOS AHORA YA ME
ORDENO MI CUARTO... SUELO PENSAR
QUE TENGO QUE LIMPIAR LA CASA, PERO
LUEGO ME PONGO CON EL ORDENA-
DOR Y SE ME PASA... MI CASA ES
UN DESASTRE, DE VERAS, UN DÍA DE
ÉSTOS TENGO QUE PONER REMEDIO...
UNA DE MISCOLEGAS, ASUMI HARA, ME
DIJO "IKUMI, DE VERDAD, PAREZCO TU
MADRE". NO LO ACABÉ DE PILLAR,
¿DEBO ESTAR CONTENTA?

Y PARA ACABAR... ❤

AYER UNA AMIGA ME COMENTÓ QUE ESTABA REUNIENDO UN GRUPO PARA IR A DISNEYLAND. LA VERDAD ES QUE NO VIENE A CUENTO PARA NADA, PERO COMO DISNEYLAND ME GUSTA TANTO NO PUEDO QUITÁRMELO DE LA CABEZA.❤❤❤

NO SÓLO ME GUSTAN LAS ATRACCIONES Y EL DISEÑO, SINO ESE AIRE DE MUNDO LLENO DE FANTASÍA QUE TIENE, CON VIDENTES Y TODO. ¡LA VIDENTE ES LA QUE MÁS ME GUSTA DE TODO EL PARQUE, ES TAN ATRACTIVA! ❤❤❤ ANTES DE CONVERTIRME EN LA CENICIENTA, CREO QUE PREFERIRÍA TENER UN PUESTO QUE VENDIERA PALOMITAS CON CARAMELO. JE JE JE ❤❤❤ ¡TENGO GANAS DE COMER PALOMITAS CON CARAMELO! ¡¡QUIERO VER SUS DESFILES!! ☆ PERO SUPONGO QUE AHORA ES IMPOSIBLE...

AUNQUE LA VERDAD ES QUE MI EDITOR ME DIJO QUE NO PODÍA IR... LÁSTIMA, HA SIDO UN SUEÑO MUY CORTITO... (RISAS) ¡ES VERDAD! ANTES HABÍA UN DESFILE DE PHANTE ILLUSION Y CASI NO LLEGO A TIEMPO DE VERLA, PERO AHORA HAY OTRO LLAMADO "ELECTRIC PARADE DREAM LIGHT". A VER SI PUEDO IR A VERLO ANTES DE QUE SE ACABE... ☆ NO TIENE NADA QUE VER CON EL TEMA, PERO ÚLTIMAMENTE ME RÍO MUCHO CON UN PROGRAMA LLAMADO "ISABEL Y BEN", PROTAGONIZADO POR DOS CHICOS EXTRANJEROS. LO EMITEN POR LAS TARDES EN FUJI TV Y ES MUY INTERESANTE, PORQUE AMBOS TIENEN UN ALTÍSIMO NIVEL DE JAPONÉS. ME ENCANTA. ❤❤❤ LA VERDAD ES QUE NO ME GUSTA NINGÚN OTRO PROGRAMA DE LA TELEVISIÓN. NO ESTOY DEMASIADO AL DÍA, ME TEMO.